El Deseo de Osito

Escrito por Angie Flores
Ilustrado por Yidan Yuan
Editado por Alana Garrigues
Traducido por Jackie Horn-Hernandez
Editado en español por Laura Fabbri

El Deseo de Osito

Dedicado a mi esposo y a mis tres ositos. Que nunca dejen de soñar y que sus deseos se hagan realidad.

- Angie

Dedicado a mi familia y todos mis amigos que me alientan a seguir persiguiendo mi pasión en el arte

- Yidan

Dedicado a mis dos ositos. Que nunca dejen de creer en sí mismos

- Jackie

Las estrellas se veían especialmente
brillantes mientras la luna emitía un brillo
azul sobre el bosque de bambú.

Papá panda y su hijo salieron a caminar y a
disfrutar de la noche.

Encontraron una bonita colina
donde sentarse a mirar las estrellas.

Un deslumbrante
brillo le atrajo la
atención de Osito

"¿Papá, por qué esa
estrella es más
brillante
que el resto?"

Papá sonrió ante la brillantez de la estrella.

"Porque, ésa es una estrella de los deseos, Osito.

Adelante, pide un deseo.

Si la estrella siente que tu

deseo vale la pena, entonces sus

poderes mágicos lo harán realidad".

Los ojos de Osito se abrieron

llenos de alegría.

Su barriga le hizo

cosquillas de pensar que la

estrella podría llegar a

concederle un deseo.

Pero, ¿qué desearía?

Papá vio que Osito

estaba pensando profundamente.

"¿Papá?" preguntó Osito,

"¿Debería desear ser un superhéroe? Podría protegernos de los malos y ayudar a los amigos con problemas?"

Papá sonrió. "Podrías pedir ese deseo, Osito, pero no tendrías mucho que proteger. Es bastante tranquilo el bosque."

Osito pensó en eso. Papá tenía razón. Las cosas eran bastante pacíficas en el bosque, y todos se llevaban bien.

"¿Papá? Debería desear ser muy rico? Podría poseer todo el bambú y ser el rey del bosque."

Papá sonrió. "Tenemos más bambú de lo que ya podemos comer. Tener más sería un desperdicio."

Osito sabía que Papá tenía razón. Había suficiente para cien mil pandas y nadie pasaría hambre.

Pedirle un deseo a una estrella era difícil.

Osito quería asegurarse de

que cualquier deseo

que pidiera, pudiera ser otorgado.

Así que miró a la

estrella y siguió pensando.

Por el rabillo del ojo, Osito

podía ver a su Papá estaba mirando

con brillo en sus ojos.

Osito se animó. "¿Papá?, debería desear ser un robot con botones brillantes y luces brillantes? Si fuera un robot, nunca me cansaría y podría quedarme despierto toda la noche."

Osito comenzó a caminar como un robot "Bip bop bip bop Bing Bing!"

Papá se sonrió y aplaudió la actuación de Osito. "Bueno Osito, eso suena como algo divertido, pero abrazar una caja de metal no sería tan agradable como abrazar tu pelaje."

La luna seguía saliendo mientras Osito

Seguía perdido en sus pensamientos.

¿Qué más podría desear?

Osito pensó en su casa

confortable, llena de toda la

comida que necesitaba.

Amaban los cariñosos

abrazos de su mamá y de su

papá y tenía muchos amigos con

quiénes jugar.

Parecía que tenía todo lo que

realmente podría pedir.

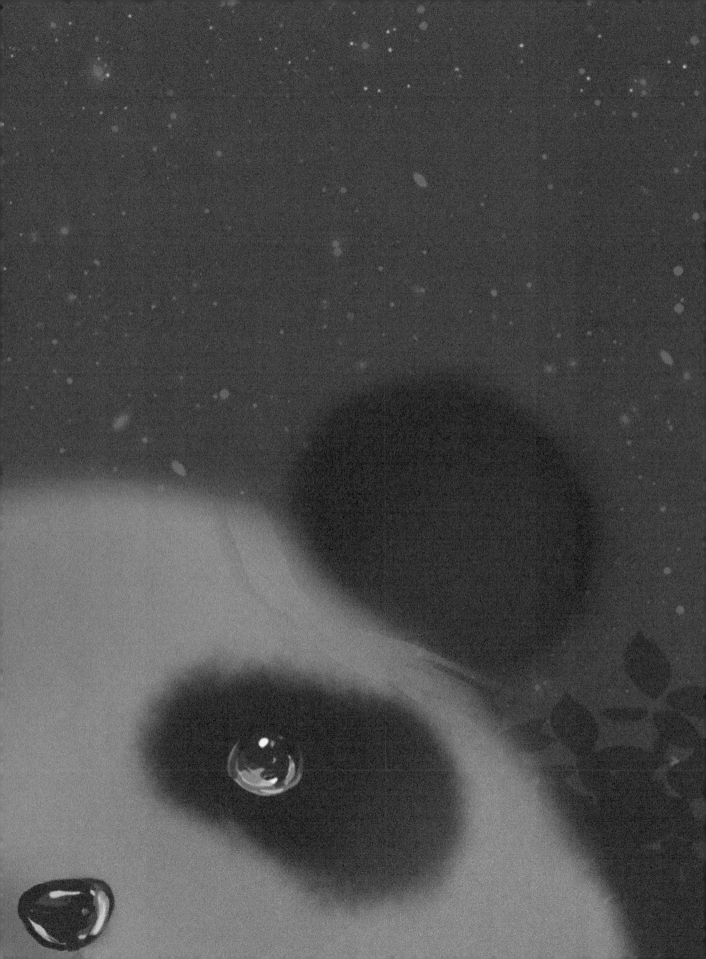

Papá?" le preguntó Osito. "¿Qué le pedirías tú?".

Papá lo miró a Osito a los ojos y sonrió. "Mi deseo

sería sentirme siempre tan feliz como ahora."

Osito pensó que eso

era perfecto.

"¿Papá?" Osito preguntó,

"¿Podemos compartir ese deseo?"

Papá sonrió y asintió.

Osito miró al cielo, se

centró en la estrella de los deseos y dijo:

"Ojalá pudiera ser tan feliz como lo estoy ahorra."

Osito acarició y abrazó muy

fuerte a su Papá.

Papá lo abrazó también,

"Ves,"

Papá susurró,

"El deseo de mi Osito se

está haciendo realidad."